1 NUMBER

1.1 PROPERTIES OF NUMBERS

1.01 (i)   26   (1)

     (ii)   12   (1)

     (iii) 45   (1)

     (iv) 52   (1)

     (v)   13   (1)

     (vi) 8 loops and 2 dots left outside the loops   (1)

1.02 (a) (i)   11   (1)

         (ii)   4   (1)

         (iii) 9   (1)

     (b) (i)   12   (1)

         (ii)   20   (1)

         (iii) 4   (1)

1.03 (i)   An even number plus an odd number is always an **odd** number.   (1)

     (ii)   An even number minus an **odd** number is always an odd number.   (1)

     (iii) An odd number plus an **even** number is always an odd number.   (1)

     (iv) An even number multiplied by an even number is always an **even** number.   (1)

     (v)   An **odd** number times an **odd** number is always an odd number.   (1)

     (vi) If an even number divides exactly by an odd number, the result is always an **even** number.   (1)

1.04 (a) (i)   8°C   (1)

         (ii)   ⁻3°C   (1)

         (iii) 11 degrees   (1)

     (b) (i)   17°C   (1)

         (ii)   15°C   (1)

         (iii) 19 degrees   (1)

1.05 (a) ⁻0.7 m (0.7 m below the surface)   (2)

     (b) ⁻3°C   (1)

     (c) Jasmine £2, Rachel £2, Alfie £6   (3)

1.06 (i)   17   (1)

     (ii)   9   (1)

     (iii) 55   (1)

     (iv) 4   (1)

     (v)   ⁻10   (1)

     (vi) 13   (1)

1.07 (a) (i) 23 and 30 written in the correct boxes (1)

	23		25	26				30			33	

(ii) 28 (1)

(b) (i) ⁻2 and 5 written in the correct boxes (1)

	⁻5			⁻2	0			3		5	

(ii) ⁻2 (1)

(c) 2, ⁻1 and ⁻4 written in the correct boxes (1)

8			5			2			⁻1			⁻4

(d) 0.8, 1.4 and 2.0 written in the correct boxes (1)

⁻0.4			0.2			0.8			1.4			2.0

1.08 (a) (i) 35   39   43   47 (1)

(ii) 82   76   70   64 (1)

(b) (i) 21   25   29   33 (1)

(ii) 18   11   4   ⁻3 (1)

(iii) 9.8   10.0   10.2   10.4 (1)

(iv) ⁻0.1   ⁻0.4   ⁻0.7   ⁻1.0 (1)

1.09 (i) 38   43 (1)

(ii) 155   146 (1)

(iii) 45   50 (1)

(iv) 57   63 (1)

(v) 39   35 (1)

(vi) 9   4.5 (1)

1.10 (i) 16   19 (1)

(ii) 16   32 (1)

(iii) 81   243 (1)

(iv) 1   0.5 (1)

(v) 17   21 (1)

(vi) 0.1   0.01 (1)

1.11 (i)   **39**   43   47   **51**   55   **59**   (1)

(ii)   **‾6**   ‾3   **0**   3   6   **9**   (1)

(iii)   108   **96**   84   72   **60**   48   (1)

(iv)   1   **3**   7   **15**   31   **63**   (1)

(v)   3   **6**   10   15   **21**   28   (1)

(vi)   **1**   2   4   7   11   **16**   (1)

1.12 (i)   patterns drawn   (2)

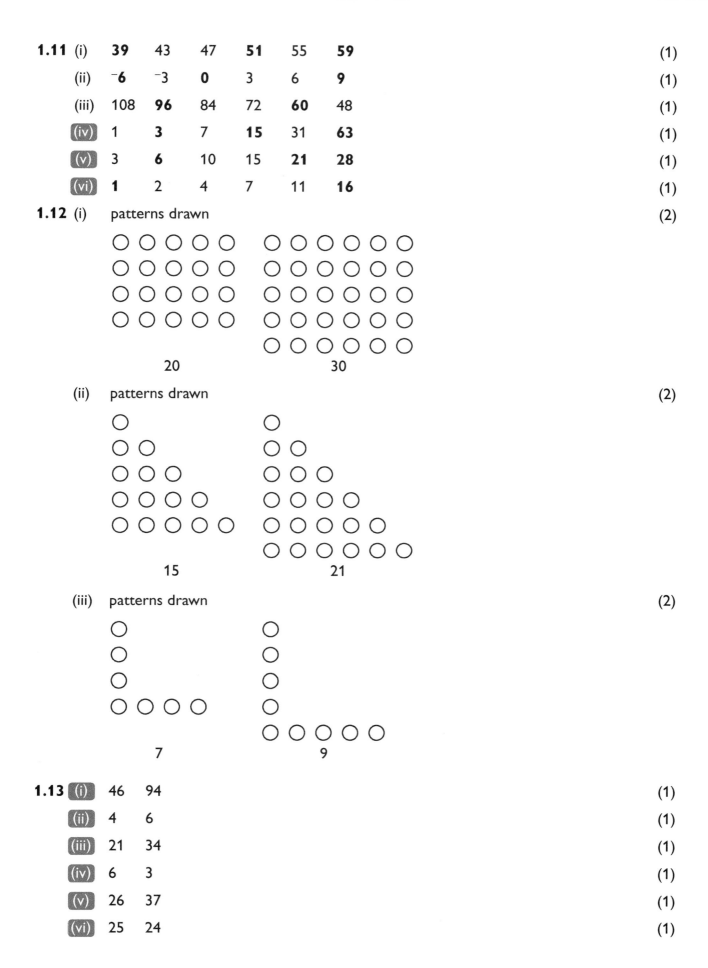

20   30

(ii)   patterns drawn   (2)

15   21

(iii)   patterns drawn   (2)

7   9

1.13 (i)   46   94   (1)

(ii)   4   6   (1)

(iii)   21   34   (1)

(iv)   6   3   (1)

(v)   26   37   (1)

(vi)   25   24   (1)

1.14 (i) 8   19   (1)

(ii) ⁻3   ⁻7   (1)

(iii) 122   365   (1)

(iv) 23   37   (1)

(v) 32   44   (1)

(vi) 37   36   (1)

1.15 (i) ⁻2   ⁻5   (1)

(ii) 2 $\frac{2}{3}$ (1)

(iii) 10   16   (1)

(iv) 25   33   (1)

(v) $\frac{5}{10}$ $\frac{6}{12}$ (1)

(vi) 25   36   (1)

1.16 (i) multiples of 3 shaded   (2)

(ii) crosses on multiples of 4   (2)

1	2	3	4✗	5	6
7	8✗	9	10	11	12✗
13	14	15	16✗	17	18
19	20✗	21	22	23	24✗
25	26	27	28✗	29	30
31	32✗	33	34	35	36✗

(iii) common multiples of 3 and 4 (12, 24 and 36)   (2)

1.17 (a) (i) crosses on 4, 8, 12 and 16   (1)

(ii) all multiples of 3 shaded   (1)

S	1	2	3	4x	5	6	7	8x	9	10	11	12x	13	14	15	16x

(iii) 12, 24, 36 and 48   (1)

(iv) multiples of 12 (common multiples of 3 and 4)   (1)

(b) 12:02   (2)

1.18 (i)　true　(1)

(ii)　true　(1)

(iii)　true　(1)

(iv)　false　(1)

(v)　true　(1)

(vi)　false (99 has a digit sum of 18!)　(1)

1.19 (i)　4 groups of 3 or 6 pairs　(1)

(ii)　16 and 20　(1)

(iii)　6 groups of 3　(1)

(iv)　19 has no factors other than 1 and itself (prime)　(1)

(v)　4 groups of 4 and 1 group of 3; 5 groups of 3 and 1 group of 4　(2)

1.20 (a)　all seven of them!　(1)

(b)　36　42　102　1011　(1)

(c)　18　24　54　78　102　2100　(1)

(d)　18　27　72　108　117　2106　(1)

(e)　21　63　98　217　749　(2)

1.21 (i)　8　20　28　48　52　60　(1)

(ii)　14　35　42　56　63　77　91　(2)

(iii)　2　3　4　6　8　12　(2)

(iv)　1　2　4　5　10　(1)

1.22 (a)　(i)　1　2　3　4　6　12　(2)

(ii)　1　3　9　27　(1)

(iii)　1　3　(1)

(b)　1　2　3　5　6　10　15　30　(2)

1.23 (a)　4 and 8　(1)

(b)　(i)　1 and 64, 2 and 32, 4 and 16, 8 and 8　(1)

(ii)　A square number has an odd number of factors; the middle number in the list of factors (for example 1, 2, 4, **8**, 16, 32, 64) is the square root of the square number.　(1)

(c)　A prime number has only one factor pair; for example 1 and 17 for 17　(1)

(d)　24 (1 and 24, 2 and 12, 3 and 8, 4 and 6)　(2)

1.24 (i)   multiples of 7 shaded   (2)

(ii)   square numbers written in correct places   (2)

×	2	3	4	5	6	7	8	9
2	4						16	
3		9	12					
4			16			28		
5				25				45
6				30	36			
7		21				49		
8					48		64	
9	18							81

(iii)   12 will appear in the table four times: 3×4, 4×3, 2×6 and 6×2 (2)

1.25 (a)   (i)   15   (1)

(ii)   1, 2, 4, 7, 8, 11, 13, 14, 16, 17, 19   (2)

(b)   (i)   1, 2, 3, 6   (1)

(ii)   7, 9, 11, 13, 14, 16, 17, 18, 19, 20   (2)

1.26 (a)   patterns drawn   (2)

15   18

(b)   patterns drawn   (2)

16   25

(c)   (i)   25   (1)

(ii)   49   (1)

1.27 (i) multiples of 6 (1)

(ii) last two rows completed (1)

(iii) prime numbers shaded (1)

			1	2	3
4	5	6	7	8	9
10	11	12	13	14	15
16	17	18	19	20	21
22	23	24	25	26	27
28	29	30	31	32	33
34	35	36	37	38	39
40	41	42	43	44	45

(iv) the primes are in two columns: 1 more, or 1 less, than a multiple of 6 (1)

(v) 73 divided by 6 is 12 remainder 1 (1 more than a multiple of 6) (2)

1.28 (a) (i) 1, 2, 3, 4, 6, 12 (1)

(ii) 2, 3 (1)

(iii) $2 \times 2 \times 3$ $(2^2 \times 3)$ (1)

(b) (i) 1, 3, 7, 21 (1)

(ii) 3, 7 (1)

(iii) 3×7 (1)

1.29 (a) (i) 2, 3 (1)

(ii) 2, 3, 7 (1)

(iii) 3 (1)

(b) (i) $2 \times 2 \times 2 \times 3$ $(2^3 \times 3)$ (1)

(ii) $2 \times 3 \times 3 \times 3$ (2×3^3) (1)

(iii) $2 \times 2 \times 5 \times 5$ $(2^2 \times 5^2)$ (1)

1.30 (i) 70 (1)

(ii) 132 (1)

(iii) 663 (1)

(iv) 300 (1)

(v) 392 (1)

(vi) 2310 (1)

1.31 (i)   isometric drawings of $4^3 = 64$ and $5^3 = 125$ (2)

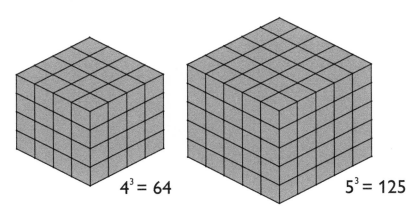

$4^3 = 64$ $5^3 = 125$

   (ii)   216   (6^3)   (1)

   (iii) 343   (7^3)   (1)

   (iv)   99 (100^3 is a million)   (2)

1.32 (i)   4, 16, 36   (1)

   (ii)   8   (1)

   (iii) 8, 16, 24, 32, 40, 48   (1)

   (iv)   4, 12, 20   (1)

   (v)   4 and 20   (1)

   (vi)   4 and 48   (1)

1.33 (i)   2, 11   (1)

   (ii)   4, 16   (1)

   (iii) 48   (1)

   (iv)   11   (1)

   (v)   27   (1)

   (vi)   4   (1)

1.34 (i)   7, 14   (1)

   (ii)   9   (1)

   (iii) 3, 7   (1)

   (iv)   90   (1)

   (v)   7, 9, 14   (1)

   (vi)   7   (1)

1.2 PLACE VALUE AND ORDERING

1.35 (i)   50 806   (1)

(ii)   fifty thousand, eight hundred and six   (1)

(iii)   abacus showing 50 993   (2)

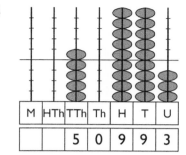

(iv)   abacus showing 50 619   (2)

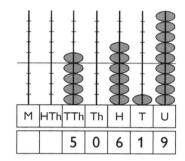

1.36 (a)   (i)   1412   (1)

         (ii)   13 101   (1)

         (iii)   5011   (1)

(b)   (i)   four thousand and fifty   (1)

         (ii)   thirty thousand, one hundred and forty-nine   (1)

         (iii)   one hundred and four thousand, five hundred and three   (1)

1.37 (i)   24.05   (1)

(ii)   twenty-four point zero five   (1)

(iii)   abacus showing 25.03   (2)

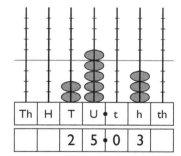

(iv)   abacus showing 23.07   (2)

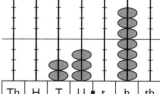

1.38 (i)   7 units (7)   (1)

(ii)   3 hundreds (300)   (1)

(iii) 6 thousands (6000)   (1)

(iv)   7 hundreds (700)   (1)

(v)   3 units (3)   (1)

(vi)   6 hundred thousands (600 000)   (1)

1.39 (a)   100 times   (1)

(b)   (i)   31.5   1.52   60.53   (1)

(ii)   8.23   0.73   0.035   (2)

(c)   (i)   1000 times   (1)

(ii)   100 times   (1)

1.40 (a)   2010   70.6   0.34   (2)

(b)   175   370.5   (2)

(c)   1 450 000   154 000   59 000   1 050 000   (2)

1.41 (a)   (i)   ⁻1 marked on number line   (1)

(ii)   ⁻3 marked on number line   (1)

(b)   negative numbers, 0, 1, 2 and 3 marked on number line   (2)

(c)   ⁻1, 0, 1, 2 marked on number line   (2)

1.42 (a)   (i)   7 marked on number line   (1)

(ii)   1.5 marked   (1)

(iii) ⁻4 marked   (1)

(b)   (i)   ⁻0.5 marked on number line   (1)

(ii)   1.8 marked   (1)

(iii) 4.25 marked   (1)

1.43 (a)   answers vary

        (i)   any number between 55 and 65, for example 50   (1)

        (ii)   any number between 6.5 and 7.0, for example 6.8   (1)

        (iii)   any number between 0.1 and 0.2 for example 0.15   (1)

   (b)   (i)   11   (1)

        (ii)   55   (1)

        (iii)   104   (1)

1.44 (a)   13   17   19   89   103   (1)

   (b)   9.3   5.9   5.3   3.9   3.5   (1)

   (c)   345   354   453   534   543   (1)

   (d)   2010   1201   1200   1020   120   102   (1)

   (e)   100 324   100 342   102 430   103 402   1 030 402   (1)

   (f)   899 988   898 989   898 889   98 899   89 898   (1)

1.45 (a)   2.54   4.25   4.52   5.24   5.42   (1)

   (b)   0.54   0.504   0.45   0.405   0.045   (1)

   (c)   7   7.02   7.021   7.2   7.202   (1)

   (d)   21.3   3.12   2.31   2.13   1.32   (1)

   (e)   0.028   0.208   0.28   0.802   0.82   (1)

   (f)   0.73   0.703   0.37   0.307   0.037   (1)

1.46 (i)   table completed   (4)

Position	Name	Time (seconds)
1st	Harriet	12.69
2nd	David	13.05
3rd	Gemma	13.14
4th	Clare	13.25
5th	Archie	13.59
6th	Francis	13.61
7th	Bella	14.12
8th	Edith	14.20

   (ii)   1.51 seconds   (2)

1.3 ESTIMATION AND APPROXIMATION

1.47 (i)   approximately 80 – suggest allowing estimates from 60 to 100   (2)

(ii)   84   (2)

(iii)   answers vary   (2)

1.48 (a)   2 marked   (2)

```
        0           2                              10
        |          ╳                               |
  ──────┼───────────────────────────────────────────┼──────
```

(b)   60 marked   (2)

```
        0                            60          100
                                     ╳            |
  ──────┼──────────────────────────────────────────┼──────
```

(c)   800 marked   (2)

```
        0                          800    1000
                                    ╳       |
  ──────┼──────────────────────────────────────────┼──────
```

1.49 (a)   (i)   approximately 300 – suggest allowing estimates from 250 to 350   (2)

(ii)   answers vary – one way would be to realise that there are 6 rows of circles and there are about 4 circles to each centimetre in the 12 cm (approx.) length of the rectangle; $6 \times 4 \times 12 = 288$; there are actually 312 circles!   (2)

(b)   approximately 5 cm (5–6 cm is acceptable)   (2)

1.50 (a)   (i)   450   (1)

(ii)   7000   (1)

(iii)   3000   (1)

(b)   (i)   655   (1)

(ii)   650   (1)

(iii)   700   (1)

1.51 (i)   1569   (1)

(ii)   2000   (1)

(iii)   1570   (1)

(iv)   9651   (1)

(v)   9700   (1)

(vi)   10 000   (1)

1.52 (a) (i) 21 (1)

(ii) 21.5 (1)

(b) (i) 4900 (1)

(ii) 4871 (1)

(iii) 4870.9 (1)

(iv) 4870.95 (1)

1.53 (a) (i) 34 000 (1)

(ii) 34 400 (1)

(iii) 34 450 (1)

(b) (i) 10 000 (1)

(ii) 1000 (1)

(iii) 20 000 (1)

1.54 (a) (i) 390 (1)

(ii) 12 (1)

(iii) 0.55 (1)

(b) (i) 405 000 (1)

(ii) 0.0584 (1)

(iii) 35.0 (1)

1.55 (a) (i) 4.5 (1)

(ii) 7.5 (1)

(iii) 11.6 (1)

(b) (i) 7.94 (1)

(ii) 0.05 (1)

(iii) 13.00 (1)

1.56 (a) approximately $\frac{4}{5}$ (2)

(b) (i) approximately 13.4 cm (1)

(ii) about 16 days in total (11 days after the Friday) (1)

(c) approximately 60 minutes (about 1 hour) (2)

1.57 (a) (i) about 13 or 14 hours (2)

(ii) answers vary – probably approximate 19 to 20 and 395 to 400, giving 13 hours and 20 minutes (1)

(b) (i) approximately 25–30 cm (2)

(ii) answers vary – one strategy is to mark the string at 1 cm intervals (1)

1.4 FRACTIONS, DECIMALS, PERCENTAGES AND RATIO

1.58 (i) $\frac{1}{3}$ (1)

(ii) $\frac{1}{4}$ (1)

(iii) $\frac{2}{3}$ (1)

(iv) $\frac{3}{4}$ (1)

(v) $\frac{7}{12}$ (1)

(vi) $\frac{5}{6}$ (1)

1.59 (a) (i) $\frac{7}{10}$ (1)

(ii) $\frac{2}{3}$ (1)

(iii) $\frac{3}{5}$ (1)

(iv) $\frac{3}{8}$ (1)

(b) $\frac{3}{4}$ of shape – example given (1)

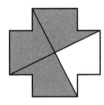

(c) square with approximately $\frac{1}{3}$ shaded (1)

1.60 (a) (i) 27 (1)

(ii) 24 (1)

(iii) 30 (1)

(b) (i) $\frac{1}{4}$ Sally and her friend ate $\frac{1}{4}$ altogether, and her sister ate $\frac{1}{3}$ of $\frac{3}{4}$, which is $\frac{1}{4}$ (2)

(ii) $\frac{1}{2}$ remained (1)

1.61 (a) (i) 4 (1)

(ii) $\frac{3}{5}\left(\frac{12}{20}\right)$; 4 chocolates thrown away, so 12 left (1)

(b) (i) circle drawn with 8 equal sectors, 4 sectors labelled (1)

(ii) $\frac{1}{2}$ (1)

(iii) each has one slice and a third of a slice (1)

(iv) $3\frac{1}{3}$ slices (1)

1.62 (i)   40   (1)

      (ii) $\frac{1}{5}$ (2)

      (iii) $\frac{13}{40}$ (2)

      (iv)   216   (1)

1.63 (a)   52 kg   (2)

      (b)   18   (2)

      (c)   1.25 m   (1)

      (d) $\frac{1}{3}$ (1)

1.64 (a) $\frac{2}{5}$ (1)

      (b)   £64   (1)

      (c) $7\frac{1}{2}$ (2)

      (d)   45   (2)

1.65 (a)   (i)   machine showing $\frac{1}{2}$ to $\frac{5}{10}$ (1)

$$\frac{1}{2} \rightarrow \boxed{\frac{\times 5}{\times 5}} \rightarrow \frac{5}{10}$$

          (ii)   machine showing $\frac{2}{3}$ to $\frac{8}{12}$ (1)

$$\frac{2}{3} \rightarrow \boxed{\frac{\times 4}{\times 4}} \rightarrow \frac{8}{12}$$

      (b)   (i) $\frac{4}{10}$ (1)

          (ii) $\frac{15}{20}$ (1)

      (c)   (i) $\frac{4}{5} = \frac{16}{20}$ so $\frac{17}{20}$ is larger.   (1)

          (ii) $\frac{4}{5} = \frac{16}{20}$, $\frac{3}{4} = \frac{15}{20}$ so $\frac{4}{5}$ is larger.   (1)

1.66 (a)   machine showing $\frac{12}{20}$ to $\frac{3}{5}$ (1)

$$\frac{12}{20} \rightarrow \boxed{\frac{\div 4}{\div 4}} \rightarrow \frac{3}{5}$$

      (b)   (i) $\frac{3}{4}$ (1)

          (ii) $\frac{4}{5}$ (1)

          (iii) $\frac{7}{8}$ (1)

          (iv) $\frac{1}{8}$ (1)

          (v) $\frac{3}{5}$ (1)

1.67 (a) (i) $\frac{1}{10}$ (1)

(ii) $\frac{1}{3}$ (1)

(b) (i) $\frac{4}{5}$ (1)

(ii) $\frac{3}{4}$ (1)

(c) $\frac{1}{4}$ $\frac{1}{3}$ $\frac{1}{2}$ $\frac{2}{3}$ $\frac{3}{4}$ (2)

1.68 (i) $\frac{1}{2}$ marked and labelled (1)

(ii) $\frac{1}{4}$ marked and labelled (1)

(iii) $\frac{3}{4}$ marked and labelled (1)

(iv) $\frac{2}{3}$ marked and labelled (1)

(v) $1\frac{1}{4}$ marked and labelled (1)

(vi) $\frac{5}{6}$ marked and labelled (1)

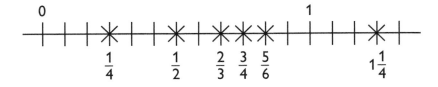

1.69 (a) 5 (1)

(b) 13 (1)

(c) (i) $\frac{7}{4}$ (1)

(ii) $\frac{8}{3}$ (1)

(iii) $\frac{19}{5}$ (1)

(iv) $\frac{31}{7}$ (1)

1.70 (i) $2\frac{1}{2}$ (1)

(ii) $1\frac{2}{3}$ (1)

(iii) $2\frac{2}{5}$ (1)

(iv) $3\frac{3}{4}$ (1)

(v) $5\frac{2}{3}$ (1)

(vi) $2\frac{4}{7}$ (1)

1.71 (i) $\dfrac{5}{6}$ (1)

(ii) $1\dfrac{1}{12}$ (1)

(iii) $1\dfrac{1}{10}$ (1)

(iv) $\dfrac{5}{12}$ (1)

(v) $1\dfrac{1}{16}$ (1)

(vi) $4\dfrac{1}{8}$ (1)

1.72 (i) $\dfrac{1}{6}$ (1)

(ii) $\dfrac{5}{12}$ (1)

(iii) $\dfrac{1}{10}$ (1)

(iv) $\dfrac{1}{12}$ (1)

(v) $\dfrac{3}{16}$ (1)

(vi) $\dfrac{7}{10}$ (1)

1.73 (i) $\dfrac{1}{6}$ (1)

(ii) $\dfrac{1}{4}$ (1)

(iii) $\dfrac{3}{10}$ (1)

(iv) $\dfrac{5}{8}$ (1)

(v) $\dfrac{1}{2}$ (1)

(vi) $1\dfrac{1}{8}$ (1)

1.74 (i) $1\dfrac{1}{2}$ (1)

(ii) $\dfrac{4}{9}$ (1)

(iii) $\dfrac{5}{6}$ (1)

(iv) $1\dfrac{1}{2}$ (1)

(v) $4\dfrac{2}{3}$ (1)

(vi) $2\dfrac{1}{4}$ (1)

1.75 (a) (i)   1.3 marked and labelled   (1)

(ii)   1.75 marked and labelled   (1)

(iii) 1.05 marked and labelled   (1)

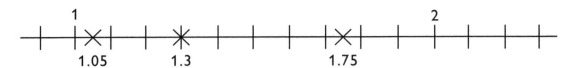

(b) (i)   1.6   (1)

(ii)   1.55   (1)

(iii) 1.675   (1)

1.76 (i)   0.6   (1)

(ii) $\frac{7}{10}$ (1)

(iii) 40%   (1)

(iv)   0.05   (1)

(v)   80%   (1)

(vi) $\frac{9}{20}$ (1)

1.77 (a) (i)   70% shaded and labelled   (1)

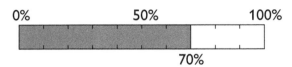

(ii)   35% shaded and labelled   (1)

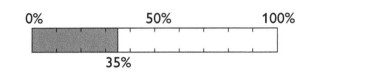

(iii) 5% shaded and labelled   (1)

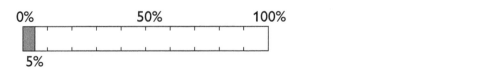

(b) (i)   65%   (1)

(ii)   0.65   (1)

(iii) $\frac{13}{20}$ (1)

1.78 (a) (i) 86% (1)

(ii) 85% (1)

(iii) 87% (maths) (1)

(b) table completed (3)

Subject	Mark	Percentage
English	$\frac{83}{100}$	83%
maths	$\frac{37}{50}$	**74%**
science	$\frac{17}{25}$	**68%**
Spanish	$\frac{28}{40}$	**70%**

1.79 table completed (6)

Selected colour	Number of people	Popularity position
red	**25**	**4th**
blue	9	**6th**
green	**41**	**2nd**
yellow	**40**	**3rd**
purple	375	1st
pink	**10**	**5th**

1.80 (a) (i) 35% (1)

(ii) 70 (2)

(b) (i) 18 (1)

(ii) 30 (2)

1.81 table completed (6)

Shop	Usual price	Sale bargain	New price
A	£115	20% off	**£92**
B	£124	reduced by $\frac{1}{4}$	**£93**
C	£135	$\frac{1}{3}$ off all phones	**£90**
D	£140	30% off	£98

1.82 (a) (i) 8 (1)

(ii) 5 (1)

(iii) 24 (1)

(b) (i) 26 g (1)

(ii) $\frac{1}{4}$ (1)

(iii) 25% (1)

1.83 (a) (i)   12%   (1)

      (ii) $\frac{39}{50}$ (1)

   (b) (i) $\frac{9}{25}$ (1)

      (ii) 2%   (1)

      (iii) 2%   (1)

      (iv) 5 g   (1)

1.84 table completed   (6)

Favourite sport	Fraction of boys	Percentage of boys
rugby	$\frac{160}{400} = \frac{2}{5}$	40%
soccer	$\frac{120}{400} = \frac{3}{10}$	30%
hockey	$\frac{80}{400} = \frac{1}{5}$	20%
basketball	$\frac{40}{400} = \frac{1}{10}$	10%

1.85 table completed   (6)

Fraction in simplest form	$\frac{1}{5}$	$\frac{3}{4}$	$\frac{13}{20}$	$\frac{1}{10}$	$\frac{3}{10}$
Decimal	**0.2**	0.75	**0.65**	0.1	0.3
Percentage	20%	**75%**	65%	**10%**	30%

1.86 (i)   4   (1)

     (ii) $\frac{2}{3}$ (1)

     (iii) 1 : 2   (1)

     (iv) 1 : 3   (1)

     (v)   1 : 3   (1)

     (vi) 1 : 4   (1)

1.87 (i)   9 : 13   (1)

     (ii) 13 : 9   (1)

     (iii) 13 : 22   (1)

     (iv) 13 : 9 : 22   (1)

     (v)   4 : 3 : 7   (2)

1.88 (i)　$\frac{1}{3}$　　　　　　　　　　　　　　　　　　　　　　　(1)

(ii)　$\frac{1}{2}$　　　　　　　　　　　　　　　　　　　　　　　(1)

(iii)　2 : 1　　　　　　　　　　　　　　　　　　　　　(1)

(iv)　1 : 2　　　　　　　　　　　　　　　　　　　　　(1)

(v)　2 : 3　　　　　　　　　　　　　　　　　　　　　(1)

(vi)　2 : 3 : 1　　　　　　　　　　　　　　　　　　　(1)

1.89 (a)　(i)　6　　　　　　　　　　　　　　　　　　　(1)

(ii)　2 : 2 : 3　　　　　　　　　　　　　　　　　(1)

(b)　(i)　1 : 5　　　　　　　　　　　　　　　　　　(1)

(ii)　270　　　　　　　　　　　　　　　　　　(1)

(iii)　1 : 1　　　　　　　　　　　　　　　　　　(1)

(iv)　5 : 1　　　　　　　　　　　　　　　　　　(1)

1.90 (i)　the number must be a multiple of 9　　　　　　(1)

(ii)　(a)　6　　　　　　　　　　　　　　　　　(1)

(b)　9　　　　　　　　　　　　　　　　　(1)

(iii)　27　　　　　　　　　　　　　　　　　　　(1)

(iv)　2 : 1 : 2　　　　　　　　　　　　　　　　(2)

1.91 (a)　(i)　20°　　　　　　　　　　　　　　　　(1)

(ii)　isosceles　　　　　　　　　　　　　　(1)

(b)　(i)　160 g　　　　　　　　　　　　　　　(1)

(ii)　18　　　　　　　　　　　　　　　　　(1)

(c)　$1\frac{1}{2}$ buckets of cement, 3 buckets of sand, $4\frac{1}{2}$ buckets of gravel　　(2)

2 CALCULATIONS

2.1 NUMBER OPERATIONS

2.01 (i)   diagram to show the addition fact $5 + 8 = 13$ (1)

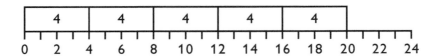

(ii)   diagram to show the subtraction fact $14 - 9 = 5$ (1)

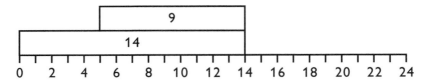

(iii)   diagram to show the multiplication fact $5 \times 4 = 20$ (1)

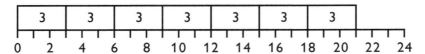

(iv)   diagram to show the exact division fact $21 \div 3 = 7$ (1)

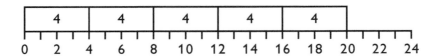

(v)   diagram to show the division fact $23 \div 5 = 4$ remainder 3   (1)

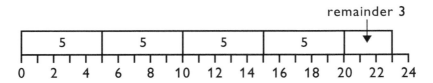

(vi)   diagram to show the subtraction fact $11 - 13 = {}^{-}2$ (1)

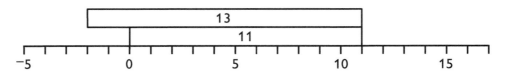

2.02 (i)   45   (1)

(ii)   9   (1)

(iii)   54   (1)

(iv)   7   (1)

(v)   5 remainder 3   (1)

(vi)   4 remainder 4   (1)

2.03 (i)   192   (1)

(ii)   25   (1)

(iii) 91   (1)

(iv)   12   (1)

(v)   7 remainder 4 $\left(7\frac{1}{2}\right)$ (1)

(vi) 8 remainder 4   (1)

2.04 (a)   77 cm   (1)

(b)   45   (1)

(c)   38   (1)

(d)   5.5 kg   (1)

(e)   147 cm   (1)

(f)   5.85 cm   (1)

2.05 (i) $37 + \mathbf{35} = 72$ (1)

(ii) $7 + 45 + \mathbf{31} = 83$ (1)

(iii) $18 + 62 - 33 = \mathbf{47}$ (1)

(iv) $102 - \mathbf{13} = 89$ (1)

(v) $13 \times \mathbf{4} = 52$ (1)

(vi) $54 \div \mathbf{9} = 6$ (1)

2.06 (a) $11 + 17 = 28$ $28 - 11 = 17$ $28 - 17 = 11$ (3)

(b) $3 \times 18 = 54$ $54 \div 18 = 3$ $54 \div 3 = 18$ (3)

2.07 (i) $50 + 70 = \mathbf{120}$ (1)

(ii) $0.5 + 0.7 = \mathbf{1.2}$ (1)

(iii) $1200 - \mathbf{700} = 500$ (1)

(iv)   The 5 and the 7 have different place values.   (1)

(v) $0.5 + 7 = \mathbf{7.5}$ (1)

(vi) $1200 - 50 = \mathbf{1150}$ (1)

2.08 (i) $50 \times 7 = \mathbf{350}$ (1)

(ii) $50 \times 0.7 = \mathbf{35}$ (1)

(iii) $0.5 \times 0.7 = \mathbf{0.35}$ (1)

(iv) $35 \div 0.7 = \mathbf{50}$ (1)

(v) $3.5 \div 0.7 = \mathbf{5}$ (1)

(vi) $35 \div 70 = \mathbf{0.5}$ (1)

2.09 (i) $5 + 4 \times 6 = \mathbf{29}$ (1)

      (ii) $(5 + 4) \times 6 = \mathbf{54}$ (1)

      (iii) $12 - 8 + 4 \times 2 = \mathbf{12}$ (1)

      (iv) $(10 - 3) + 5 \times 4 - 8 = \mathbf{19}$ (1)

      (v) $16 - 3 \times 5 + 4 \div 2 = \mathbf{3}$ (1)

      (vi) $(3^2 + 2 \times 5 - 4) \times 2 = \mathbf{30}$ (1)

2.10 The most likely answers are provided here – there may be others!

      (i) $4 \times 3 + 8$ (1)

      (ii) $8 \times 4 + 3$ (1)

      (iii) $4 \times 3 - 8$ (1)

      (iv) $(8 + 3) \times 4$ (1)

      (v) $8 \div 4 - 3$ (1)

      (vi) $8 \div 4 \times 3$ or $3 \times 8 \div 4$ (1)

2.11 addition grid completed   (6)

+	4	9	6	3	8	5	7
8	12	17	14	11	16	13	15
3	7	12	9	6	11	8	10
7	11	16	13	10	15	12	14
4	8	13	10	7	12	9	11
6	10	15	12	9	14	11	13
9	13	18	15	12	17	14	16
5	9	14	11	8	13	10	12

2.12 multiplication grid completed   (6)

×	4	9	6	3	8	5	7
8	32	72	48	24	64	40	56
3	12	27	18	9	24	15	21
7	28	63	42	21	56	35	49
4	16	36	24	12	32	20	28
6	24	54	36	18	48	30	42
9	36	81	54	27	72	45	63
5	20	45	30	15	40	25	35

2.13 subtraction grid completed (6)

−	4	3	7	6	5
5	1	2	⁻2	⁻1	0
6	2	3	⁻1	0	1
8	4	5	1	2	3
7	3	4	0	1	2
9	5	6	2	3	4

2.14 (i) 3 remainder 3 (1)

(ii) 3 remainder 4 (1)

(iii) 14 remainder 1 (1)

(iv) 6 (1)

(v) 5 remainder 4 (1)

(vi) 2 remainder 9 (division by factors expected) (1)

2.2 MENTAL STRATEGIES

2.15 (i) 51 (1)

(ii) 21 (1)

(iii) 245 (1)

(iv) 70 (1)

(v) 80 (1)

(vi) 169 (1)

2.16 (i) 120 (1)

(ii) 141 (1)

(iii) 792 (1)

(iv) 150 (1)

(v) 360 (1)

(vi) 441 (1)

2.17 (i) 40 kg (1)

(ii) £60 (1)

(iii) 2.8 (1)

(iv) 37 (1)

(v) £89.91 (1)

(vi) 17 (1)

2.18 (a) £4.41 (1)

(b) 15 people (1)

(c) ⁻3 °C (1)

(d) 2 hours 10 minutes (1)

(e) 14 (the integers are 5 and 9) (1)

(f) 33 (the prime numbers are 3 and 11) (1)

2.19 (i) $210 (1)

(ii) 0.01 (1)

(iii) £228.19 (1)

(iv) 23 (1)

(v) 32 litres (1)

(vi) 10 150 (1)

2.3 WRITTEN METHODS

2.20 (a) 347 (1)

(b) 551 (1)

(c) 2701 (2)

(d) 123 (2)

2.21 (a) 64.4 (1)

(b) 21.5 (1)

(c) 12.96 (2)

(d) 14.7 (2)

2.22 (a) 44.99 (1)

(b) 36.81 (1)

(c) 11.4 (2)

(d) 53 (2)

2.23 (a) 1.001 (1)

(b) 1.82 (1)

(c) 1.235 (2)

(d) 1.8 (2)

2.24 (a) 5.25 (1)

(b) 75.75 (1)

(c) 21 (1)

(d) 2.9 (1)

(e) 84.77 (2)

2.25 (a) £7.41   (2)

   (b) £2489   (2)

   (c) 6844 m²   (2)

2.4 CALCULATOR METHODS

2.26 answers vary

   (a) The answer should be even and end in zero.   (1)

   (b) (i) $400 \div 40 = 10$ (1)

        (ii) 10.3   (1)

   (c) (i)   The answer should end with 3 hundredths, not 9 hundredths.   (1)

              The answer should be bigger than 36.76   (1)

        (ii) She pressed '−' instead of '+'.   (1)

2.27 (i)   5 hours 15 minutes   (1)

   (ii)   6 pizzas   (1)

   (iii) £5.25   (1)

   (iv) $5\frac{1}{4}$ (1)

   (v)   5 stones 3.5 pounds   (1)

   (vi)   5 people   (1)

2.28 (i) $3\frac{1}{2}$ (1)

   (ii) $4\frac{3}{4}$ (1)

   (iii) $8\frac{1}{8}$ (1)

   (iv) $4\frac{2}{3}$ (1)

   (v)   10   (1)

   (vi) $\frac{5}{9}$ (1)

2.29 (a) (i)   1428 is even and has a digit sum of 15 (a multiple of 3)   (1)

             (ii) 238   (1)

             (iii) divided by 5 in error   (1)

   (b) (i)   6 minutes 40 seconds   (1)

        (ii) 6 feet 8 inches   (1)

        (iii) 6 yards 2 feet   (1)

2.30 (a) (i)   3   (1)

             (ii) use brackets; press '=' after the addition   (2)

   (b) (i)   50.9   (1)

        (ii) She didn't put the decimal point in 14.5   (1)

        (iii) She didn't enter the 4 in 36.4   (1)

2.5 CHECKING RESULTS

2.31 (i) 27 (1)

(ii) 146 (1)

(iii) 84 (1)

(iv) 15 (1)

(v) ⁻19 (1)

(vi) 5 (1)

2.32 (a) 18 (2)

(b) 76.83 (2)

(c) flowchart completed (2)

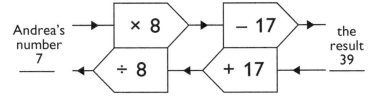

2.33 (i) An integer ending in 5 plus an integer ending in 8 always gives an integer ending in **3** (1)

(ii) An integer ending in 5 minus an integer ending in 8 always gives an integer ending in **7** (1)

(iii) An integer ending in 5 times an integer ending in 8 always gives an integer ending in **0** (1)

(iv) An integer ending in 7 plus an integer ending in **4** always gives an integer ending in 1 (1)

(v) An integer ending in 7 minus an integer ending in **8** always gives an integer ending in 9 (1)

(vi) An integer ending in 7 plus an integer ending in **2** always gives an integer ending in 9 (1)

2.34 (i) ⁻1; the negative sign was missed (2)

(ii) 5 should be added to the list; ≤ was misread as < (2)

(iii) 10, 11, 13, 14, 16, 17, 19, 20; the word 'not' was missed (2)

3 PROBLEM SOLVING

3.1 DECISION MAKING

3.01 (i)   dividing   (1)

    (ii)   multiplying   (1)

    (iii)   subtracting, adding   (1)

    (iv)   adding, dividing   (1)

    (v)   multiplying, dividing   (1)

    (vi)   finding square root, multiplying   (1)

3.02 (i)   £75   (1)

    (ii)   6825 m²   (1)

    (iii)   46 marbles   (1)

    (iv)   10 sweets   (1)

    (v)   £7.20   (1)

    (vi)   32 m   (1)

3.03 answers vary – most likely answers given

    (i)   PR followed by PP   (1)

    (ii)   M   (1)

    (iii)   C   (1)

    (iv)   PP   (1)

    (v)   MJ   (1)

    (vi)   PR   (1)

3.04 46   49   64   69   94   96
         469 496 649 694 946 964   (6)

3.05 6 kites, 6 isosceles triangles, 12 right-angled triangles   (6)

3.06 (a)   13 and 37   (2)

        Both end in 1, or both end in 9, or one ends in 3 and the other ends in 7

    (b)   47 and 61   (4)

        One ends in 7 and the other ends in 1, or one ends in 9 and the other ends in 3

3.07 165 (6)

The number of cubes in each layer is the square of an odd number.

Starting at the top, we have $1 + 9 + 25 + 49 + 81 = 165$

3.08 31 straws (6)

To make the next pattern you add 3 straws to the previous pattern. The number of straws needed for a particular pattern is 1 more than 3 times the pattern number ($3n + 1$, where n is the pattern number).

3.2 REASONING ABOUT NUMBERS OR SHAPES

3.09	(i)	odd	(1)
	(ii)	even	(1)
	(iii)	even	(1)
	(iv)	even	(1)
	(v)	6 and 3	(1)
	(vi)	$\frac{1}{2}$	(1)
3.10	(a) (i)	39 and 8	(1)
	(ii)	312	(1)
	(b) (i)	5 (the other is 13)	(1)
	(ii)	18	(1)
	(c)	3, 13 and 23 (the sum is 39)	(2)
3.11	(a)	2, 5 and 7	(2)
	(b)	101 and 3	(2)
	(c)	120	(2)
3.12	(a)	7	(1)
	(b)	7	(1)
	(c)	4	(2)
	(d)	6	(2)
3.13	(a)	15	(2)
	(b)	at least two of the following: kite, isosceles trapezium, delta (arrowhead)	(2)
	(c)	14 44	(2)
3.14	(a)	square-based pyramid	(2)
	(b)	132	(2)
	(c)	rhombus, irregular hexagon (as below)	(2)

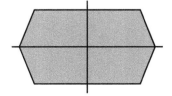

3.15 (i)   33   (1)

      (ii) $3 \times 11 = 33$ (1)

      (iii)   answers vary   (1)

           sum × difference = difference of squares   (1)

      (iv)   123 (3×41)   (2)

3.16 (a)   (i)   50p, 10p, 5p, 2p and 1p   (1)

            (ii)   50p and 10p   (1)

            (iii)   5p, 1p and 1p   (1)

      (b)   (i)   £6   (1)

            (ii)   £8   (1)

            (iii)   £2   (1)

3.17 (i)   order 2   (1)

      (ii)   one line   (1)

answers vary – examples given

      (iii)   shape C   (1)

      (iv)   shape D   (1)

      (v)   shape E   (2)

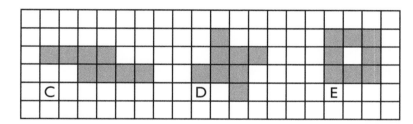

3.18 (i)   98 532   (1)

      (ii)   89   (1)

      (iii)   9852   (1)

      (iv)   98 325   (1)

      (v)   29   (1)

      (vi)   258   (1)

3.19 (i) $56 \to 33 \to 18 \to 27 \to 27$ (1)

      (ii) $64 \to 30 \to 9 \to 27 \to 27$ (1)

      (iii) $21 \to 9 \to 27 \to 27$ (1)

      (iv)   54   (1)

      (v)   1008   (1)

      (vi)   900   (1)

3.20 (i)   pairs of opposite numbers on the orange squares have a sum of 18; pairs of numbers on the diagonally opposite corners have a sum of 18   (2)

(ii)   grid completed   (2)

2	4	6
5	7	9
8	10	12

(iii)   grid completed   (2)

8	15	22
17	24	31
26	33	40

3.21 (i)   5   14   23   32   41   50   (1)

(ii)   104   113   122   131   140   (1)

(iii)   203   212   221   230   302   311   320   401   410   500   (2)

(iv)   1004   (1)

(v)   500 000   (1)

3.22 (i)   12 units   (1)

(ii)   12 units   (1)

answers vary – examples given

(iii)   shape C drawn   (1)

(iv)   shape D drawn   (1)

(v)   shape E drawn   (2)

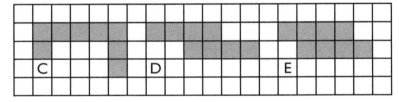

3.23 answers vary – examples given

(i) $5 + 5 - 5$ or $5 \times 5 \div 5$ (1)

(ii) $\dfrac{5 + 5}{5}$ (1)

(iii) $5 \times 5 + 5$ (1)

(iv) $5 \times 5 - 5$ (1)

(v) $\dfrac{5}{5} - 5$ (1)

(vi) $\dfrac{5}{5 \times 5}$ (1)

3.24 (i)   25 and 70   (1)

        (ii)   16 and 25   (1)

        (iii)   7, 43 and 61   (1)

        (iv)   5   (304   313   322   331   340)   (1)

        (v)   4   (403   412   421   430)   (1)

        (vi)   6   (502   511   520   601   610   700)   (1)

3.25 (i)   diagram drawn   (1)

        (ii)   diagram drawn   (1)

        (iii)   diagram drawn   (2)

        (iv)   diagram drawn   (2)

3.26 (i)   11 → 3 (one step)   (1)

        (ii)   15 → 11 → 3 (two steps)   (1)

        (iii)   75 → 17 → 15 → 11 → 3 (four steps)   (1)

        (iv)   19   (1)

        (v)   95   (1)

        (vi)   85   (1)

3.27 answers vary – examples given

    (i)   shape D drawn   (2)

    (ii)   four shapes drawn   (4)

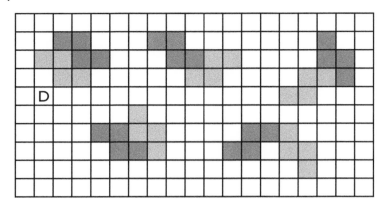

3.28 (i)   pattern number 4 drawn   (1)

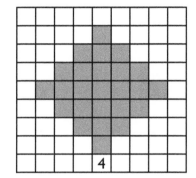

    (ii)   table completed   (5)

Pattern number	1	2	3	4	5
Total number of squares	1	5	13	25	41
Number of squares added to make from previous pattern		4	8	12	16
Perimeter of shape (units)	4	12	20	28	36

3.3 REAL-LIFE MATHEMATICS

3.29 (a) (i)   £23.96   (1)

        (ii)   £4.25   (1)

    (b) (i)   £5.90   (1)

        (ii)   £1 181 250   (1)

    (c) (i)   2.3 kg   (1)

        (ii)   60 kg   (1)

3.30 (a) (i)   10 000   (1)

        (ii)   20   (1)

        (iii) 4   (1)

    (b) (i)   2 hours 15 minutes   (1)

        (ii)   12 minutes   (1)

        (iii) 54 minutes   (1)

3.31 (a) £80.85   (1)

     (b) £70.50   (1)

     (c) £6.75   (1)

     (d) £13.02   (3)

3.32 (a) (i)   63%   (1)

        (ii) 20 g   (1)

        (iii) 10   (1)

     (b) list of ingredients to make 18 scones   (3)

To make 18 scones	
butter	165 g
flour	660 g
baking powder	9 tsp
salt	$1\frac{1}{2}$ tsp
caster sugar	105 g
sultanas	195 g
milk	450 ml
eggs	3

3.33 (a) (i)   90   (1)

        (ii) 10 pence   (1)

     (b) (i)   2.3 m (230 cm)   (1)

        (ii) 1.15 m (115 cm)   (1)

     (c) 27 more boys than girls (there are 268 girls)   (2)

3.34 (i)   8   (1)

    (ii) 48   (1)

    (iii) approximately 40 minutes   (2)

    (iv) $\frac{1}{16}$ (2)

3.35 (i)   £2.28   (1)

    (ii) £1.00   (1)

    (iii) £1.35   (1)

    (iv) £2.30   (1)

    (v)   £2.75   (1)

    (vi) £4.20   (1)

3.36 (i)   £138.20   (1)

    (ii) £4.40   (1)

    (iii) D (£26.88)   (2)

    (iv) £1.37   (2)

3.37 (a) (i)   £35.30   (3)

        (ii) £59.70   (1)

     (b) £240.48   (2)

3.38 (i) The seats are the best seats at the middle price. (1)

   (ii) 48 (1)

   (iii) 96 (1)

   (iv) £1032 (3)

3.39 (a) £192 (2)

   (b) approximately $\frac{1}{3}$ (2)

   (c) 85 pence (2)

3.40 (i) £48 (2)

   (ii) 8 (£1.50 charged to clean a car) (2)

   (iii) 32 (2)

3.41 (i) (a) 25 posts needed (not 24!) since there is a post at each end of the fence (1)

   (b) 60 (2)

   (ii) £470 (25 × £8 plus 60 × £4.50) (2)

   (iii) 240 (1)

3.42 (i) 28 minutes 40 seconds (1)

   (ii) 1 hour (2)

   (iii) (a) 63 pence (1)

   (b) £62.60 (2)

3.43 (i) 52 m² (1)

   (ii) 208 (2)

   (iii) £588 (2)

   (iv) buy 21 boxes; this costs the same as 20 boxes and 8 single tiles at £3.50 each, so it is better to buy 21 boxes and have two spare tiles! (1)

3.44 (i) £2 (don't forget the 13 minutes to walk back to the car!) (2)

   (ii) 1 hour 12 minutes (2)

   (iii) £2 (parking is free after 18:00) (2)

3.45 (i) 56 m² (2)

   (ii) 8 litres (2)

   (iii) two 5 litre tins; £37.98 (2)

3.46 (i) 495 days (3)

   (ii) £90 (1)

   (iii) 150% (2)

4 ALGEBRA

4.1 EQUATIONS AND FORMULAE

4.01 (i)   9 cm   (1)

     (ii)   15 cm   (1)

     (iii) $7\frac{1}{2}$ cm   (1)

     (iv)   4 cm   (1)

     (v)   6 cm   (1)

     (vi) $1\frac{1}{2}$ cm   (1)

4.02 (i) $2 \rightarrow 5 \rightarrow 20 \rightarrow 8 \rightarrow 10 \rightarrow 2$ (1)

     (ii) $5 \rightarrow 8 \rightarrow 32 \rightarrow 20 \rightarrow 25 \rightarrow 5$ (1)

     (iii) $10 \rightarrow 13 \rightarrow 52 \rightarrow 40 \rightarrow 50 \rightarrow 10$ (1)

     (iv)   answers vary – but the result will always be the starting number!   (1)

     (v) $f \rightarrow \boxed{+\,3} \rightarrow \boxed{\times\,4} \rightarrow \boxed{-\,12} \rightarrow \boxed{\text{add } f} \rightarrow \boxed{\div\,5} \rightarrow \text{result}$ (2)

4.03 (i)   perimeter = 6 times side length (or equivalent)   (1)

     (ii)   18 cm   (1)

     (iii)   30 cm   (1)

     (iv)   15 cm   (1)

     (v)   2 cm   (1)

     (vi) $1\frac{1}{2}$ cm   (1)

4.04 (a)   (i)   4   (1)

         (ii) $b = 7 - t$ (2)

     (b)   (i)   750p   (1)

         (ii)   £7.50   (1)

         (iii)   flowchart completed   (1)

$$n \rightarrow \boxed{\times\,75} \rightarrow \boxed{\div\,100} \rightarrow C$$

4.05 (i)   13   (1)

     (ii)   22   (1)

     (iii)   37   (1)

     (iv)   5   (1)

     (v)   8   (1)

     (vi) $^-1$ (1)

4.06 (i) flowchart drawn (1)

$$e \rightarrow \boxed{+\,3} \rightarrow \boxed{\times\,2} \rightarrow 2\,(e + 3)$$

(ii) 12 (1)

(iii) 18 (1)

(iv) 5 (1)

(v) 8 (1)

(vi) ⁻1 (1)

4.07 (i) flowchart drawn (1)

$$f \rightarrow \boxed{-\,3} \rightarrow \boxed{\times\,5} \rightarrow 5\,(f - 3)$$

(ii) 0 (1)

(iii) ⁻5 (1)

(iv) 7 (1)

(v) 8 (1)

(vi) 4 (1)

4.08 (i) flowchart drawn (1)

$$\text{centimetres} \rightarrow \boxed{\times\,12} \rightarrow \boxed{\div\,30} \rightarrow \text{inches}$$

(ii) 6 inches (1)

(iii) 10 inches (1)

(iv) multiply by 30 and then divide by 12 (1)

(v) 20 cm (1)

(vi) 22.5 cm (1)

4.09 (i) $g + 4$ (1)

(ii) $3g$ (1)

(iii) $g - 2$ (1)

(iv) $2g + 4$ (1)

(v) $4g$ (1)

(vi) $6g + 2$ (1)

4.10 (i) 13 (1)

(ii) 10 (1)

(iii) 11 (1)

(iv) 11 (1)

(v) 36 (1)

(vi) 10 (1)

4.11 (i)   8   (1)

(ii)   3   (1)

(iii)   2   (1)

(iv)   7   (1)

(v) $^-1$ (1)

(vi)   11   (1)

4.12 (a)   (i) $5k + 2$ (1)

(ii)   22   (1)

(b)   (i) $5(j + 2)$ or equivalent   (1)

(ii)   4   (1)

(c)   (i) $3m - 4$ (1)

(ii)   2   (1)

4.13 (i)   2   (1)

(ii)   22   (1)

(iii)   12   (1)

(iv)   2   (1)

(v)   17   (1)

(vi)   7   (1)

4.14 (i) $a = 16$ (1)

(ii) $b = 23$ (1)

(iii) $c = 5$ (1)

(iv) $d = 5$ (1)

(v) $e = 4$ (1)

(vi) $f = 1$ (1)

4.15 (i) $x = 5$ (1)

(ii) $x = 6$ (1)

(iii) $x = 5$ (1)

(iv) $x = 1$ (1)

(v) $x = {^-2}$ (1)

(vi) $x = 32$ (1)

4.2 SEQUENCES AND FUNCTIONS

4.16 (a)   (i)   11   (1)

           (ii)   20   (1)

      (b)   (i)   11   (1)

           (ii)   3   (1)

      (c)   (i)   12   (1)

           (ii)   4   (1)

4.17 (a)   (i)   table completed   (1)

                 7 $\longrightarrow$ **10**

               10 $\longrightarrow$ **13**

           (ii)   1, 4, 7, 10, 13, 16, 19, 22   (1)

      (b)   table completed   (2)

                 9 $\longrightarrow$ **27**

              27 $\longrightarrow$ **81**

              81 $\longrightarrow$ **243**

      (c)   1, ⁻1, ⁻3, ⁻5, ⁻7   (2)

4.18 (a)   (i)   table completed   (2)

                13 $\longrightarrow$ **26** $\longrightarrow$ **29**

              29 $\longrightarrow$ **58** $\longrightarrow$ **61**

           (ii)   1 $\longrightarrow$ 5 $\longrightarrow$ 13 $\longrightarrow$ **29** $\longrightarrow$ **61** $\longrightarrow$ **125** $\longrightarrow$ **253**   (2)

      (b)   1 $\longrightarrow$ 8 $\longrightarrow$ 22 $\longrightarrow$ **50** $\longrightarrow$ **106** $\longrightarrow$ **218** $\longrightarrow$ **442**   (2)

4.19 (a)   (i)   '+ 5'   (1)

           (ii)   21, 26   (1)

      (b)   (i)   '+ 4'   (1)

           (ii)   76, 156   (1)

      (c)   '× 2' then '+ 6' or '+ 3' then '× 2'   (2)

4.3 GRAPHS

4.20 (i)   table completed   (2)

         1 ⟶ **3**

         3 ⟶ **5**

         6 ⟶ 8

    (ii)   points plotted   (2)

    (iii)   line drawn   (1)

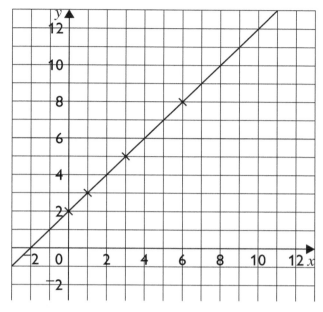

    (iv) $y = x + 2$ (1)

4.21 (i)   points marked with crosses   (1)

         $y = x - 2$

    (ii) $(2, 0), (6, 4), 10, 8), (12, 10)$ (1)

    (iii) $y = x - 2$ (1)

    (iv) $y = x + 4$ drawn   (2)

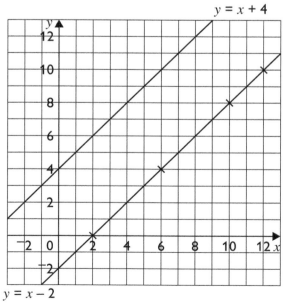

    (v)   The lines are parallel.   (1)

4.22 (i)   tables completed   (1)

   A   5 ──▶ **8**

   B   5 ──▶ **10**

(ii)   two sets of points plotted   (2)

(iii)   graphs drawn and labelled   (2)

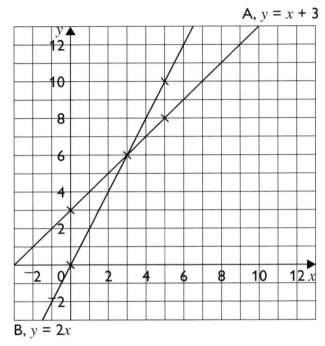

A, $y = x + 3$

B, $y = 2x$

(iv)   (3, 6)   (1)

4.23 (i)   table completed   (2)

   3 ──▶ 9 ──▶ **4**

   5 ──▶ **15** ──▶ **10**

   2 ──▶ **6** ──▶ 1

(ii)   points plotted   (2)

(iii)   graph drawn   (1)

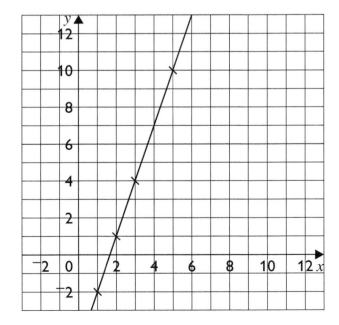

(iv) $y = 3x - 5$ (1)

4.24 (i)   table completed   (1)

3 ⟶ **4**

5 ⟶ **2**

(ii)   (1, 6), (2, 5), (3, **4**), (**4**, **3**), (**5**, **2**), (**6**, **1**)   (1)

(iii)   points plotted   (2)

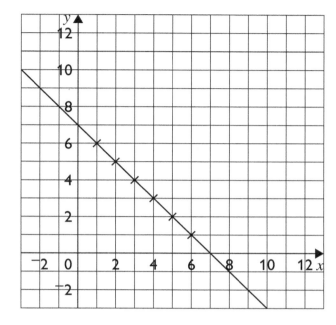

(iv) $y = 7 - x$ (2)

4.25 (i) $x = 2$ (1)

(ii) $y = 9$ (1)

(iii)   line C, $y = 5$, drawn and labelled   (1)

(iv)   line D, $x = 6$, drawn and labelled   (1)

(v)   area shaded; square   (1)

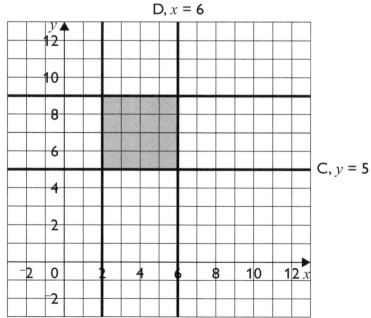

(vi)   (4, 7)   (1)

4.26 (i)   points plotted   (2)

(ii)   points joined to form a kite; shape shaded   (1)

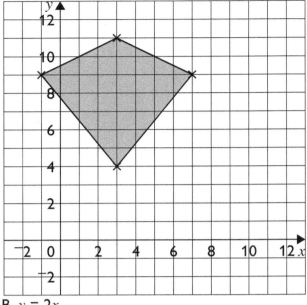

B, $y = 2x$

(iii)   kite   (1)

(iv)   28 square units   (2)

4.27 (i) $(2, 4), (6, 7), (2, 10), (^-2, 7)$ (1)

(ii) $(6, ^-1), (9, 2), (9, 7), (^-1, ^-1)$ (1)

(iii)   rhombus   (1)

(iv)   isosceles trapezium   (1)

(v) $x = 2$ and $y = 7$ (1)

(vi) $y = 8 - x$ (1)

4.28 (i) $y = x + 4$ drawn   (2)

(ii) $y = 2x$ drawn   (2)

(iii) $y = 2x - 4$ drawn   (2)

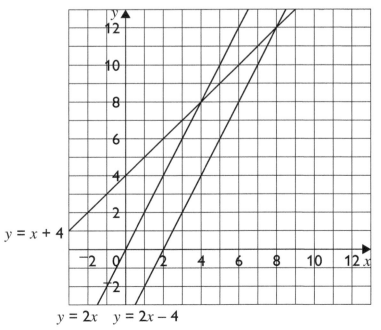

$y = x + 4$

$y = 2x$ $y = 2x - 4$

5 SHAPE, SPACE AND MEASURES

5.1 MEASURES

5.01 answers vary – any reasonable answers acceptable

(a)	(i)	10 cm	(1)
	(ii)	5 km	(1)
	(iii)	3 mm	(1)
(b)	(i)	600 cm²	(1)
	(ii)	0.2 cm² (20 mm²)	(1)
	(iii)	250 m² (actually 264 m²)	(1)

5.02 (a) (i) 72 mm (1)

        (ii) measure one side (12 mm) and multiply by 6 (1)

    (b) (i) 19 cm (1)

        (ii) 17.5 cm² (1)

    (c) (i) 22 cm (1)

        (ii) 15 cm² (1)

5.03 answers vary – any reasonable answers acceptable

(a)	(i)	200 ml	(1)
	(ii)	100 mm³ (0.1 cm³)	(1)
	(iii)	200–300 litres	(1)
(b)	(i)	30 kg	(1)
	(ii)	10 g (actually 12 g)	(1)
	(iii)	500 mg (0.5 g)	(1)

5.04 (a) (i) 25 ml (1)

        (ii) 13 ml (1)

        (iii) 19 ml (1)

    (b) (i) 8.5 kg (1)

        (ii) 12.3 kg (1)

    (c) 2.5 degrees (1)

5.05 (a) (i) 13 glasses (1)

        (ii) 50 ml (1)

    (b) (i) 2 (1)

        (ii) 2.2 m (1)

        (iii) 2 m (if he cuts two 0.9 m lengths and one 0.4 m length from one 2.4 m length) (2)

5.06 (a) (i)   105 cm   (1)

       (ii)   1050 mm   (1)

       (iii)   3 feet 6 inches (90 cm + 15 cm)   (1)

    (b) (i)   30 000 g   (1)

       (ii)   66 pounds   (1)

       (iii)   4 stones 10 pounds   (1)

5.07 (i)   18 cm³   (1)

    (ii)   9 cm²   (1)

    (iii)   42 cm²   (1)

    (iv)   6   (1)

    (v)   12   (1)

    (vi)   9   (1)

5.08 (i)   ⁻2.5 °C   (1)

    (ii)   ⁻5.5 °C   (1)

    (iii)   2 °C   (1)

    (iv)   59 °F   (1)

    (v)   77 °F   (1)

    (vi)   27.5 °F   (1)

5.09 (a) (i)   08:00   (1)

       (ii)   20:00   (1)

    (b) (i)   2.45 p.m.   (1)

       (ii)   9.05 p.m.   (1)

    (c)   14:54 (the real time is 14:58)   (1)

    (d)   08:03:30   (1)

5.10 (a)   56.8 seconds   (1)

    (b) (i)   2.5 km   (1)

       (ii)   15 km   (1)

    (c) (i)   3 hours 30 minutes $\left(3\frac{1}{2} \text{ hours}\right)$ (1)

       (ii)   245 km   (2)

5.11 (i)   10 cm   (1)

    (ii)   5 cm   (1)

    (iii)   10 hours   (1)

    (iv)   10 000 hours   (1)

    (v)   approximately 1600 years (14 million hours or 583 333 days or 1598 years!)   (2)

5.12 (a)   (i)   45 cm³   (1)

          (ii)   15 cm²   (1)

    (b)   (i)   8   (1)

        (ii)   30 cm²   (2)

         (iii)   19   (1)

5.2 SHAPE

5.13 (a)   shapes named   (3)

      A equilateral triangle, B regular pentagon, C right-angled isosceles triangle

    (b)   shapes named   (3)

      D square pyramid, E cylinder, F triangular prism

5.14 (i)   F (both have area 3.5 square units)   (1)

    (ii)   D   (1)

    (iii)   A and I   (1)

    (iv)   H   (1)

    (v)   A, B, C, D, E and I   (2)

5.15 (i)   hexagon   (1)

    (ii)   2   (1)

    (iii)   2   (1)

    (iv)   96 cm² (100 − 4)   (1)

    (v)   isosceles trapezium   (1)

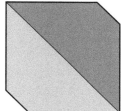

    (vi)   sketch drawn   (1)

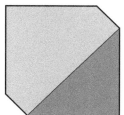

5.16 (i)   net drawn – an example given   (2)

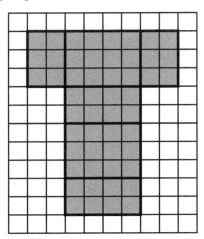

(ii)   52 cm²   (1)

(iii)   36 cm   (1)

(iv)   isometric view of cuboid drawn   (1)

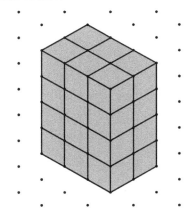

(v)   3   (1)

5.17 drawn answers vary – examples given

(i)   A rhombus   (2)

(ii)   B isosceles trapezium   (2)

(iii)   C kite (or delta or arrowhead)   (2)

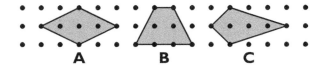

5.18 positions of shapes drawn vary – examples given

    (i)   shape B drawn   (1)

    (ii)   shape C drawn   (1)

    (iii)   congruent   (1)

    (iv)   shape D drawn   (2)

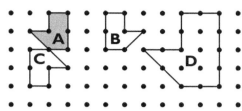

    (v)   4 times   (1)

5.19 (i)   B kite, C isosceles trapezium,
              D delta kite or arrowhead, E trapezium   (2)

    (ii)   quadrilateral   (1)

    (iii)   A has rotation symmetry, opposite sides parallel, opposite angles equal.   (1)

    (iv)   B and D   (1)

    (v)   B and D   (1)

5.20 (i)   tetrahedron   (1)

    (ii)   4   (1)

    (iii)   4   (1)

    (iv)   6   (1)

    (v)   3   (1)

    (vi)   4 times   (1)

5.21 (i)   shape copied and lines of symmetry drawn   (1)

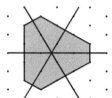

    (ii)   3   (1)

    (iii)   12 cm   (1)

    (iv)   shape drawn – there are two possibilities   (2)

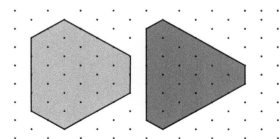

    (v)   correct number of equilateral triangles – there are two possibilities   (1)
             left-hand shape above 52
             right-hand shape above 46

5.22 (i) one plane of symmetry   (1)

     (ii) 20 cm²   (1)

     (iii) two views drawn – examples given   (4)

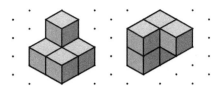

5.3 SPACE

5.23 (a) (i) acute   (1)

       (ii) reflex   (1)

       (iii) obtuse   (1)

     (b) b, c, a (2)

     (c) acute angles   (1)

5.24 (a) (i) 70°   (1)

       (ii) isosceles   (1)

     (b) 40°, 140°, 140°   (1)

     (c) 80°, 100°, 100°   (1)

     (d) 80°, 120°   (2)

5.25 (a) (i) 55°   (1)

       (ii) 100°   (1)

       (iii) 68°   (1)

       (iv) 68°   (1)

     (b) 103°   (1)

     (c) 45°   (1)

5.26 (a) (i) 20°   (1)

       (ii) 104°   (1)

       (iii) 200°   (1)

     (b) (i) 40° angle drawn   (1)

       (ii) 125° angle drawn   (1)

       (iii) 87°angle drawn   (1)

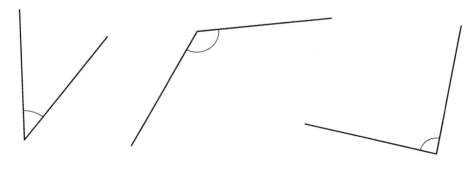

5.27 (i)   line *AB* of length 10 cm drawn   (1)

(ii)   arc, radius 6 cm and centre *A*, drawn   (1)

(iii)   arc, radius 8 cm and centre *B*, drawn   (1)

(iv)   point *C* marked and triangle *ABC* completed   (1)

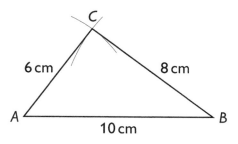

(v)   90°   (1)

(vi)   37°   (1)

Challenge 5G

Kite drawn

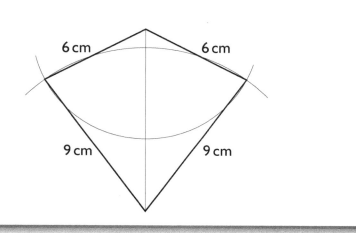

5.28 (i)   line *DE* of length 8.5 cm drawn   (1)

(ii)   angle *EDF* of 40° measured and line *DF* of length 8.5 cm drawn   (1)

(iii)   *EF* drawn; 5.8 cm   (1)

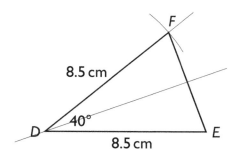

(iv)   70°   (1)

(v)   70°   (1)

(vi)   line of symmetry drawn through *D* and the mid-point of *EF*: triangle *DEF* is isosceles   (1)

Challenge 5H

triangle drawn – there are two possibilities;
the shortest side is opposite the smallest angle

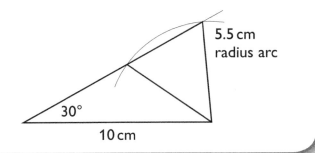

5.29 (i)   line *GH* of length 9.8 cm drawn   (1)

    (ii)   angle *HGI* of 50° measured and arm of the angle drawn   (1)

    (iii)   angle *GHI* of 40° measured and arm of the angle drawn   (1)

    (iv)   point *I* marked; 90°   (1)

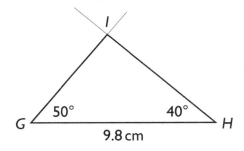

    (v)   6.3 cm   (1)

    (vi)   7.5 cm   (1)

5.30 (i)   equilateral triangle, side 8 cm, constructed   (2)

    (ii)   lines of symmetry drawn and point *P* marked   (1)

    (iii)   4.65 cm   (1)

    (iv)   circle, centre *P*, drawn   (1)

    (v)   circles, centres *A*, *B* and *C*, drawn   (1)

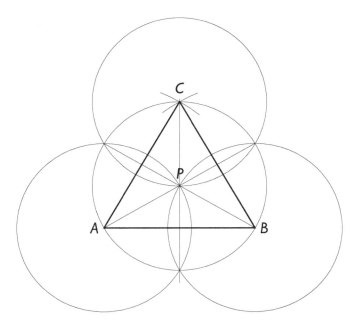

5.31 (a)   shape reflected in line   (2)

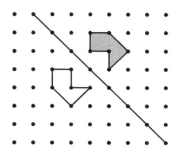

(b)   shape rotated through 90° anticlockwise   (2)

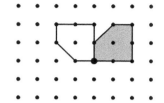

(c)   shape translated 3 units right and 2 units up   (2)

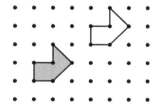

5.32 (i)   (0, 3), (⁻2, 6), (⁻3, 4)   (1)

(ii)   triangle B drawn   (1)

(iii)   triangle C drawn   (1)

(iv)   triangle D drawn   (1)

(v) $x = 3$ drawn, triangle E drawn   (1)

(vi)   triangle F drawn   (1)

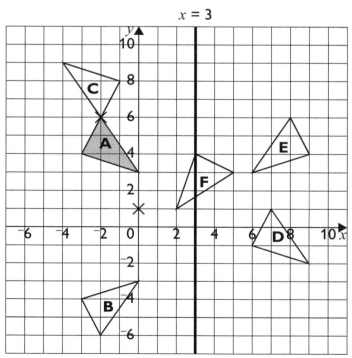

5.33 (i)   compass direction letters added to diagram   (1)

(ii)   bearings added to diagram   (2)

(iii)   Asha's journey shown (broken line)   (1)

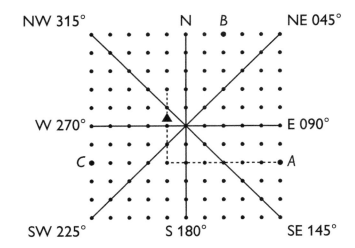

(iv)   225°   (1)

(v)   10 m   (1)

5.34 (a)   (i)   45°   (1)

(ii)   135°   (1)

(b)   (i)   270°   (1)

(ii)   90°   (1)

(c)   (i)   315°   (1)

(ii)   135°   (1)

5.35 answers vary – examples given

(i)   tessellation of shape A   (3)

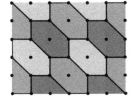

(ii)   tessellation of shape B   (3)

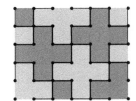

5.36 (i)   rectangle 12 cm by 6 cm, using scale 1 cm to represent 1 m   (2)

    (ii)   5 cm arc centre *A* and region (grey here) shaded   (2)

    (iii)   5 cm arc centre mid-point of *CD* and region (dotted here) shaded   (2)

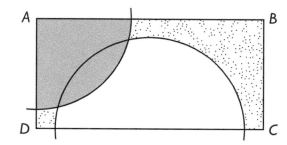

6 HANDLING DATA

6.1 DATA HANDLING

6.01 (i) 2   (1)

(ii) 3   (1)

(iii) 2   (1)

(iv) 2   (1)

(v) $\frac{1}{2}$ (1)

(vi) $\frac{1}{6}$ (1)

6.02 (i) Carroll diagram completed   (2)

	brown hair	not brown hair
brown eyes	M	J L
not brown eyes	I	K N

(ii) Kelly and Mark   (1)

(iii) 4 cm   (1)

(iv) Kelly   (2)

6.03 (i) 27   (1)

(ii) 46   (1)

(iii) 115   (2)

(iv) 2 : 3   (1)

(v) 3 : 4   (1)

6.04 (i) $\frac{1}{2}$ (1)

(ii) 2   (1)

(iii) P   (1)

(iv) W   (1)

(v) Q   (1)

(vi) U   (1)

6.05 (i)   Venn diagram completed   (4)

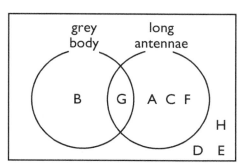

(ii)   3   (1)

(iii)   4   (1)

6.06 (i)   B   (1)

(ii)   C   (1)

(iii)   C   (1)

(iv)   D   (1)

(v)   C   (1)

(vi)   A   (1)

6.07 (i)   37   (1)

(ii)   86   (1)

(iii)   Venn diagram completed   (1)

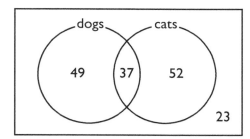

(iv)   161   (1)

(v)   89   (1)

(vi)   101   (1)

6.08 (i)   11   (1)

(ii)   40   (1)

(iii)   20   (1)

(iv) $\frac{1}{3}$ (1)

(v)   Saturday   (1)

(vi)   answers vary – for example, $\frac{11}{40}$ is just more than $\frac{1}{4}$, $\frac{12}{48}$ is exactly $\frac{1}{4}$ (1)

6.09 (i) 6 (1)

(ii) none (1)

(iii) 30 (1)

(iv) 9 (1)

(v) 5.5 (1)

(vi) 5 (1)

6.10 (i) 5 (1)

(ii) £1.20 (1)

(iii) £7.52 (2)

(iv) £2, 20p, 20p, 5p, 2p, 1p (£2.48 needed) (2)

6.11 (i) 6 (1)

(ii) 3 (1)

(iii) 9 (1)

(iv) 25% (1)

(v) $\frac{3}{8}$ (1)

(vi) 2 : 3 (1)

6.12 (i) table copied and completed (2)

Score	Tally of individual scores	Frequency
1	ᵗHH ᵗHH //	12
2	ᵗHH ᵗHH /	11
3	ᵗHH ///	8
4	ᵗHH ////	9

(ii) 1 (1)

(iii) 2 (1)

(iv) 2.35 (2)

6.13 (i) 10 (1)

(ii) 5 (1)

(iii) 3.5 (1)

(iv) 4 (1)

(v) 32 (1)

(iv) 3.2 (1)

6.14 (i)   8   (1)

    (ii)   20   (1)

    (iii)   41–60   (1)

    (iv)   61–80   (1)

    (v)   answers vary – for example, students did more practice or revision, took greater care, were more confident or knew what to expect; or the second paper was easier   (1)

    (vi)   41–60   (1)

6.15 (i)   5   (1)

    (ii)   8   (1)

    (iii)   6.5   (2)

    (iv)   6.4   (2)

6.16 (i)   42.8 kg   (2)

    (ii)   1.40 m   (2)

    (iii)   11:5 (11 years, 5 months)   (2)
           Just add the months and divide by 5 as the years are all the same

6.17 (i)   09:20   (1)

    (ii)   13:40   (1)

    (iii)   60 minutes (1 hour)   (1)

    (iv)   4 hours and 20 minutes   (1)

    (v)   3 km   (1)

    (vi)   3 km (1 km in 20 minutes)   (1)

6.18 (i)   44 cm   (1)

    (ii)   14 cm   (1)

    (iii)   6 minutes $\left(\frac{1}{10} \text{ hour}\right)$ (1)

    (iv)   15:18   (1)

    (v)   30 minutes   (1)

    (vi)   answers vary – for example, Fred left the tap running   (1)

6.19 (i)   **K**400   (1)

    (ii)   **K**14   (1)

    (iii)   £7   (1)

    (iv)   Wannabeland; **K**0.2, £0.10 (10 pence)   (1)

    (v)   £22   (2)

6.20 (i)   1.8 lb   (1)

    (ii)   2.4 lb   (1)

    (iii)   1.4 kg   (1)

    (iv)   0.5 kg   (1)

    (v)   0.7 kg   (2)

6.2 PROBABILITY

6.21 for (i)–(iv) answers vary – examples given

    (i)   very likely   (1)

    (ii)   very unlikely   (1)

    (iii) impossible   (1)

    (iv) certain   (1)

    (v)   even chance   (1)

    (vi) unlikely   (1)

6.22 (i)   letter A marked on probability scale   (1)

    (ii)   letter B marked on scale   (1)

    (iii) letter C marked on scale   (1)

    (iv) letter D marked on probability scale   (1)

    (v)   letter E marked on scale   (1)

    (vi) letter F marked on scale   (1)

6.23 (a)   organised list of possible outcomes   (3)

Spinner	Coin
1	H
2	H
3	H
4	H
1	T
2	T
3	T
4	T

    (b) (i)   A   (1)

         (ii)   A   (1)

         (iii) less likely $\left(\frac{2}{6} \text{ compared to } \frac{3}{7} \right)$ (1)

6.24 (i)   true   (1)

       (ii)   true   (1)

       (iii)   true (only one possible outcome for each)   (1)

       (iv)   false (one chance for 2, four chances for 5)   (1)

       (v)   false (a 1 in 4 chance)   (1)

       (vi)   true   (1)

6.25 (i)   table completed   (2)

	Orange	White	Grey
Orange	OO	OW	**OG**
White	WO	**WW**	WG
Grey	GO	**GW**	GG

       (ii)   letter A added to probability scale   (1)

       (iii)   letter B added to scale   (1)

       (iv)   letter C added to scale   (1)

       (v)   letter D added to scale   (1)

              B   A   C   D
       0   1

6.26 (i)   letter A added to probability scale   (1)

     (ii)   4 (HH, HT, TH, TT)   (1)

     (iii)   letter B added to scale   (1)

     (iv)   8 (HHH, HHT, HTH, HTT, TTT, TTH, THT, THH)   (1)

     (v)   letter C added to scale   (1)

             C$(\frac{1}{8})$ B$(\frac{1}{4})$ A
       0   1

     (vi)   1 in a million chance!   (1)